· L'aventure de ·
THÉO, HUGO ET ZOÉ

Joins ta voix à celles et ceux qui défendent les droits de la personne et les libertés fondamentales.

Du même auteur

Le Post-Covid. À deux mille ans de l'harmonie et de mon équilibre, Éditions de la Francophonie, 2023

Trauma. Le corps messager, Éditions de la Francophonie, 2022.

La patate qui grouillait pour ne pas rouiller. (Grouille ou Rouille), Éditions de la Francophonie, 2022

Portés disparus. Le Covid se prouve, la détresse s'éprouve, t. 3, Éditions de la Francophonie, 2021

Port-Royal. Une histoire inachevée, Éditions de la Francophonie, 2021

La valise des autres, t. 2, Éditions de la Francophonie, 2020

Tommy et Tofu. Lettre au premier ministre, Éditions de la Francophonie, 2020

Une démence paisible, sereine et heureuse, Éditions de la Francophonie, 2020

La deuxième agression, t. 1, Éditions de la Francophonie, 2020

2041. Pendant que l'Amérique se déshumanisait, le peuple dormait au gaz, Éditions de la Francophonie, 2019

Ce matin-là, Éditions de la Francophonie, 2018

Black-out, Éditions de la Francophonie, 2017

La séquence manquante, Éditions de la Francophonie, 2017

Ce monstre imprévisible, Éditions de la Francophonie, 2016

La mauvaise mère, Éditions de la Francophonie, 2015

Illustrations :	Geneviève Huard
Photo de l'auteur :	Éric Montreuil
Couverture et mise en pages :	Geneviève Lemieux
Révision :	Adeline Corrèze
Production et distribution :	Les Éditions de la Francophonie
	476, boul. Saint-Pierre Ouest C.P. 5536
	Caraquet (N.-B.) E1W 1B7
	Tél. : 506 702-9840 • 1 833 212-9840
	Courriel : info@editionsfrancophonie.com
	www.editionsfrancophonie.com

ISBN 978-2-89627-911-1 (papier)
ISBN 978-2-89627-912-8 (ePub)
Tous droits réservés pour tous pays
© 2023 Philippe G. Hébert
© 2023 Les Éditions de la Francophonie
Dépôt légal – 3e trimestre 2023
Bibliothèque et Archives Canada

Les hyperliens indiqués dans cet ouvrage ont été consultés et vérifiés en mars 2023.

Philippe G. Hébert

• L'aventure de •
THÉO, HUGO ET ZOÉ

La Déclaration
universelle
des droits
de l'homme
a 75 ans

Les Éditions
de la Francophonie

Incertains quant à leur avenir, Théo, Hugo et Zoé décidèrent de partir à l'aventure le temps d'une fin de semaine. Ils choisirent de se rendre sur une petite île dans le sud du Nouveau-Brunswick, située à la frontière entre la baie de Fundy et le golfe du Maine, pour se laisser inspirer.

La grande diversité des paysages leur permit de s'évader entre ciel et mer. Leur corps était gentiment poussé par les vents de la liberté, de l'égalité et de la fraternité.

— J'aimerais pouvoir me projeter dans le futur, leur dit Théo, pour savoir ce que me réserve l'avenir.

— Moi j'aimerais pouvoir me projeter dans 35 ans d'ici pour savoir si j'ai réussi dans la vie, leur indiqua Hugo.

— Moi j'aimerais seulement savoir si j'ai eu droit à une vie heureuse, leur confia Zoé, d'une voix inquiète.

Nos trois amis inséparables se plaisaient à marcher au bord de la mer à la recherche de quelque chose d'indéfini. Sous un soleil resplendissant, ils aperçurent une bouteille qui s'était échouée sur le rivage, non loin d'un amas de roches usées par le temps.

En regardant de plus près, ils remarquèrent qu'elle contenait une note manuscrite. Théo se pencha et ramassa la bouteille. L'un après l'autre, ils se mirent à l'examiner. Zoé observa que la note manuscrite était datée du 10 décembre 1948. Ils réalisèrent que cette bouteille avait parcouru de longues distances en solitaire.

— Et si elle valait une petite fortune ? leur dit Théo, sans se prendre au sérieux.

— Et si elle valait plus d'un million de dollars ? ajouta Hugo, tout souriant.

— Il vaut mieux garder les deux pieds sur terre, insista Zoé, réaliste.

En examinant de plus près leur trouvaille, ils aperçurent les lettres S.O.S. Intrigués par le contenu de la note manuscrite, Théo et ses deux amis tentèrent d'ouvrir la bouteille, tout en évitant de la casser en mille morceaux.

— Soyons prudents, glissa Théo.

— J'ai hâte de la lire, lança Mélissa.

Après quelques tentatives, Hugo réussit à l'ouvrir.

En retirant la note manuscrite de la bouteille, le morceau de papier se dissipa instantanément en un nuage de fumée. Une femme, manifestement arrivée d'une autre époque, leur apparut. Mais, avant même qu'ils pussent lui poser la moindre question, ils furent aspirés dans la bouteille de verre et catapultés dans un lieu inconnu.

Ils se retrouvèrent enfermés dans une ville-labyrinthe. Vêtus d'un blue-jean, d'un t-shirt et d'une paire de sandales, ils furent vite repérés par les habitants de la ville, puisque leur accoutrement tranchait avec ceux de l'époque. Stupéfaits, les gens ne comprenaient pas comment ils avaient pu entrer à l'intérieur de la ville-labyrinthe. Hugo s'approcha de l'un d'eux pour lui demander:

— En quelle année sommes-nous?
— Aujourd'hui, c'est vendredi le 10 décembre 1948, lui répondit l'inconnu, un peu étonné par la question.
— Où se trouve la porte de sortie?, chercha à savoir Théo.

Cela fit rire l'inconnu. Il comprit que nos trois étrangers ne connaissaient rien de l'endroit où ils se trouvaient.

— Personne n'a encore réussi à percer l'énigme du labyrinthe pour pouvoir quitter ce lieu, leur expliqua-t-il. Je vous souhaite la meilleure des chances.

Interloqués, nos trois amis inséparables se regardèrent. Ils réalisèrent qu'ils avaient été victimes d'un sortilège en ouvrant la bouteille. Comme par magie, ils avaient été transportés à une autre époque. Rapidement, ils saisirent l'ampleur du défi qui les attendait. Pour briser le sortilège, ils devaient percer l'énigme du labyrinthe. Pour quitter ce lieu, ils devaient ouvrir la porte du passé et revenir au présent. Et à défaut de percer l'énigme, ils comprirent qu'ils continueraient de vivre dans le passé.

Rien ne laissait entrevoir qu'il était possible de résoudre l'énigme du labyrinthe. En observant le comportement des gens qui habitaient dans cette ville, Zoé avait vite constaté que ceux-ci semblaient résignés à leur propre sort parce qu'ils ignoraient encore tout de leurs droits et libertés.

Théo, Hugo et Zoé ne cherchèrent pas à comprendre ce qui s'était produit dans le passé, mais ils se donnèrent la mission de libérer le peuple, tenu en captivité à l'intérieur de cette ville, pour que tous puissent jouir de leurs droits et de leurs libertés fondamentales. Nos trois amis inséparables se mirent à arpenter cette ville-labyrinthe d'où ils risquaient de ne jamais sortir.

Après avoir longuement marché et tourné en rond pendant plusieurs jours, ils aperçurent une porte au bout d'un long corridor. Ils n'en croyaient pas leurs yeux. Sous l'effet de la fatigue, ils crurent que ce n'était qu'un mirage. Ils se précipitèrent pour découvrir qu'il s'agissait bien d'une porte de sortie, mais elle ressemblait drôlement à une porte de coffre-fort ignifugée, comme vêtue d'un habit blindé et fortifié.

Intriguées par le comportement des trois étrangers, les personnes tenues en captivité avaient décidé de les talonner pour savoir ce qu'ils cherchaient exactement. Lorsqu'ils réalisèrent qu'ils essayaient d'ouvrir la porte de sortie, l'une d'elles s'empressa de leur dire :

— N'y pensez même pas, car vous n'y parviendrez pas.

Un autre ajouta :

— Les plus doués d'entre nous avons tous essayé à de nombreuses reprises. Et nous avons hélas été incapables de percer l'énigme.

En tentant d'ouvrir la porte, un dispositif d'alarme se déclencha. Dès qu'ils eurent appuyé sur le bouton « ÉNIGME », le son de l'alarme fut désactivé. Théo, Hugo et Zoé eurent alors le droit de visionner un film en noir et blanc. Ils découvrirent les atrocités de la Deuxième Guerre mondiale, qui venait de se terminer trois ans plus tôt.

Une guerre qui avait fait des millions de morts et de blessés et qui avait également laissé des millions de familles endeuillées. Ils virent la misère assise aux pieds des ruines de nombreuses villes encore en reconstruction. Ils virent aussi la pauvreté et la détresse qui régnaient partout.

L'énigme est la suivante : Les droits et libertés énoncés dans la Déclaration universelle des droits de l'homme sont

_____, _____, _____ et _____.

Nos trois amis inséparables découvrirent une nouvelle union qui allait se développer entre les différentes nations, à la recherche de la paix et de la fraternité humaine. Puis, dans les dernières minutes du film, le narrateur mit l'accent sur la mission que l'Organisation des Nations Unies s'était donnée pour promouvoir le respect des droits de la personne et des libertés fondamentales dont tous devraient jouir, sans distinction aucune. L'ONU fut par ailleurs créée, en 1945, après ce long conflit qui avait été le plus meurtrier de l'histoire de l'humanité.

Le narrateur du film fit également mention du comité de rédaction de la *Déclaration universelle des droits de l'homme*, qui était composé entre autres d'Eleanor Roosevelt des États-Unis, de John Peters Humphrey du Canada, de René Cassin de la France, de P.C. Chang de la Chine, de Charles Dukes du Royaume-Uni, d'Alexandre Bogomolov de la Russie, de C.H. Malik du Liban, de H. Santa Cruz du Chili et de William Roy Hodgson de l'Australie. « Ces délégués ont marqué l'Histoire en matière de droits de la personne », insista le narrateur, à titre de conclusion.

À la toute fin du film, l'énigme à résoudre apparut devant eux. Un mot croisé leur fut proposé pour leur permettre de percer l'énigme du labyrinthe. Ils avaient deux minutes pour compléter la phrase suivante : « Les droits et libertés énoncés dans la *Déclaration universelle des droits de l'homme* sont _____, _____, _____ et _____. » À titre d'indices, toutes les voyelles de chacun des mots étaient indiquées en rouge.

Théo et Hugo n'avaient aucune idée de quoi il s'agissait. Découragés, ils se rendirent compte que les gens tenus en captivité dans cette ville-labyrinthe n'avaient, eux non plus, aucune chance de sortir de ce lieu.

— Je crois que les gens d'ici avaient raison, leur indiqua Hugo. Nous ne sortirons jamais de ce fichu labyrinthe.
— Nous sommes donc condamnés à vivre dans le passé, ajouta Théo.

Sûre d'elle-même, Zoé s'empressa de les rassurer. Elle leur raconta qu'elle avait suivi un cours sur les droits de la personne durant sa dernière année d'école secondaire. Elle avait d'ailleurs fait un excellent travail et une présentation sur le préambule de la *Déclaration universelle des droits de l'homme*, adoptée le 10 décembre 1948 à Paris.

Zoé leur expliqua que cette *Déclaration* se voulait un outil d'enseignement et d'éducation ainsi qu'une source d'inspiration pour promouvoir l'exercice et le respect des droits de la personne partout sur la planète. «Comme un idéal commun à atteindre par tous les peuples et toutes les nations», leur précisa-t-elle. Et elle connaissait la réponse à l'énigme du labyrinthe qui se trouvait dans le préambule qu'elle avait longuement étudié.

En revanche, ce qui l'intriguait le plus était la note manuscrite qu'ils avaient trouvée dans la bouteille au bord de la rive.

— N'est-ce pas étrange, leur dit-elle, que cette note était datée du jour et de l'année, où nous nous sommes trouvés transportés ici?
— Je n'y avais pas pensé, affirma Hugo, étonné.

Et comme un flash, Zoé perça l'énigme du labyrinthe. Elle leur fit savoir que personne ne devrait être privé de ses droits et libertés parce qu'ils sont inaliénables et indivisibles. Et que les droits et libertés prévus dans cette *Déclaration* étaient tous liés entre eux et avaient la même importance parce qu'ils sont interdépendants. Et que ces droits et libertés s'appliquaient à tous, partout où ils allaient ou vivaient dans le monde, parce qu'ils sont universels. «Tous les êtres humains naissent libres et égaux en dignité et en droits», insista-t-elle, consciente de ce à quoi le peuple avait été soumis.

Elle posa la main sur la poignée de la porte, et cette fois, elle s'ouvrit. Zoé était fière de ce qu'elle venait d'accomplir. Les gens se réjouissaient. Certains criaient: «Le peuple est libéré!» D'autres hurlaient: «Nous sommes libres! Nous avons finalement des droits et des libertés!».

— Mais qu'aurions-nous fait sans toi? demanda Hugo.
— Depuis que je te connais, tu as toujours été notre phare dans l'obscurité, lui fit savoir Théo.

Théo et Hugo invitèrent tout le monde à les suivre. En regardant les gens franchir la porte, Zoé réalisa que le peuple enfermé et emprisonné dans la ville-labyrinthe n'avait eu aucune chance d'être libre, parce qu'il avait été privé de connaître et d'exercer ses droits et libertés.

Tous nés libres et égaux (art 1)
Pas de discrimination (art 2)
Vie, liberté et sûreté (art 3)
Pas d'esclavage (art 4)
Pas de torture (art 5)
Jouir de nos droits partout (art 6)
Égaux devant la loi (art 7)
Jugé par un tribunal compétent (art 8)
Pas de détention arbitraire (art 9)
Procès équitable (art 10)
Présumé innocent (art 11)
Vie privée (art 12)

Circuler librement (art 13)
Chercher asile (art 14)
Droit à une nationalité (art 15)
Mariage et famille (art 16)
Droit à la propriété (art 17)
Pensée, conscience et religion (art 18)
Liberté d'expression et d'opinion (art 19)
Liberté de réunion et d'association (art 20)
Affaires publiques/Voter (art 21)
Sécurité sociale (art 22)
Travailler/se syndiquer (art 23)
Repos et loisirs (art 24)
Niveau de vie suffisant (art 25)
Éducation (art 26)
Vie culturelle (art 27)
Ordre social international (art 28)
Devoirs de l'individu (art 29)
Respect de la Déclaration (art 30)

Zoé comprit que le peuple avait été tenu dans l'ignorance totale afin qu'il ne soit pas libre. En perçant l'énigme du labyrinthe, elle tenait à ce que chacun d'eux s'éduque et n'ignore plus jamais les droits et libertés auxquels il était en droit de s'attendre et de réclamer.

En franchissant la porte, Théo, Hugo et Zoé découvrirent un arbre géant avec ses racines qui se prolongeaient et qui entouraient la planète Terre. Et sur le tronc de l'arbre était gravé les mots « paix, dignité et fraternité ». Tout comme le peuple, enfin libéré, ils aperçurent de magnifiques branches sur lesquelles étaient mentionnées chacun des articles de la *Déclaration universelle des droits de l'homme* dont tous devaient jouir, sans distinction aucune.

Dans l'esprit de Zoé, il ne faisait plus aucun doute que l'arbre des droits de la personne et des libertés fondamentales avait été caché au peuple pour le tenir en captivité et l'empêcher d'être libre. Et il avait été tenu dans l'ignorance totale à l'aide de cette porte au bouclier invincible.

Rapidement, Théo, Hugo et Zoé réalisèrent qu'ils n'étaient pas au bout de leur peine, car l'énigme à résoudre comportait une deuxième épreuve. Mais cette fois-ci, le peuple savait qu'il avait des droits et libertés. Maintenant, il devait plus que jamais se tenir debout pour les revendiquer et les faire respecter.

— Nous devons mémoriser chacun des articles de cette *Déclaration*, leur conseilla Zoé, si nous tenons à percer l'énigme du labyrinthe.
— Mettons-nous au travail, leur demanda Théo.

Ce que le peuple fit, avant de marcher à la recherche de la seconde porte de sortie.

Théo, Hugo et Zoé avaient conscience de ce qui les attendait. Ils devaient résoudre la deuxième énigme, avant d'être catapultés dans le présent. Une fois de plus, l'énigme exigeait des connaissances de la *Déclaration universelle des droits de l'homme*. Le peuple qui venait d'être libéré de ce qui leur avait été caché marchait fidèlement sur les traces de nos trois amis inséparables.

L'énigme est la suivante:
En présence de toute forme
de discrimination, je n'existe pas.
Qui suis-je?

La réponse à l'énigme se trouve en ligne verticale.

Après avoir longuement marché, Théo, Hugo et Zoé trouvèrent la seconde porte de sortie. Elle était gigantesque, mais ils ne la craignaient pas. Ils ne se laissèrent pas intimider par sa prestance. Depuis leur enfance, ils avaient appris à se tenir debout et à défendre les droits et libertés auxquels ils avaient droit. Ils adoptèrent la même posture.

Et comme lors de la première épreuve, un autre mot croisé leur fut proposé pour leur permettre de percer l'énigme. Ils avaient 60 secondes pour répondre à la question suivante : «En présence de toute forme de discrimination, je n'existe pas. Qui suis-je ?». Ils devaient trouver un mot de sept lettres en ligne verticale. À titre d'indices, quelques consonnes des quatre mots figurant en ligne horizontale étaient indiquées en rouge. Et avec l'appui du peuple qui avait mémorisé chacun des articles de la *Déclaration*, il fallut 48 secondes à Théo, Hugo et Zoé pour résoudre l'énigme. Et la porte s'ouvrit.

— Vous êtes maintenant libres, leur dit Théo, s'adressant au peuple.
— Nous sommes enfin libres !, hurla Hugo, très heureux du dénouement.
— Je suis contente pour le peuple, insista Zoé, toute souriante.

Comme par magie, les murs et le dôme de la ville-labyrinthe se dissipèrent et disparurent devant leurs yeux. Le peuple était maintenant libre de circuler et de faire ses propres choix. Le peuple pouvait enfin réclamer les droits et libertés auxquels il était en droit de s'attendre. Car leurs droits et libertés étaient non seulement inaliénables, indivisibles et interdépendants, ils étaient surtout universels. Partout où ils allaient.

— La non-discrimination et l'égalité font partie des principes fondamentaux de cette *Déclaration universelle des droits de l'homme*, leur expliqua Zoé. Ne les perdez jamais de vue et défendez-les, car elles permettent la liberté et la justice. Et elles permettent également la réalisation de tous les autres droits. Et n'oubliez jamais que nous sommes tous nés libres et égaux en dignité et en droits, insista-t-elle.

Avant de les laisser partir, Zoé les supplia de ne jamais laisser personne porter atteinte à leurs droits et libertés, ni ne laisser personne les priver de leur capacité de les exercer. Elle les supplia également de lutter pour faire reconnaître leurs droits et libertés et surtout, pour les protéger et les faire respecter.

Pendant que Théo, Hugo et Zoé regardaient le peuple retrouver le chemin de la liberté et apprivoiser leur nouvelle vie, la bouteille qu'ils avaient trouvée au bord de la rive réapparut à leurs pieds. Une fumée blanche s'échappa du col de la bouteille pour attirer leur attention. Hugo se pencha et la ramassa. La bouteille contenait une note manuscrite. En la lisant, nos trois amis comprirent qu'ils devaient réussir une dernière épreuve, avant d'être catapultés dans le présent.

Pendant ce temps-là, la femme qui avait jailli de la bouteille au bord de la rive semblait se plaire de plus en plus à vivre à l'an 2023. Elle ne manifestait aucune intention de retourner vivre dans le passé auquel elle appartenait. Elle venait de découvrir une société d'abondance et de surconsommation. Elle avait aussi découvert une société hyperconnectée avec le net, les sites web, les blogues, les forums de discussion, les médias et réseaux sociaux, les moteurs de recherche, les vidéos en ligne, etc. Elle avait découvert une société hyperbranchée, comme jamais auparavant.

Intriguée par le comportement des jeunes et des moins jeunes qui textaient sans cesse sur leurs téléphones intelligents, une invention technologique qui lui était jusqu'alors inconnue, elle demanda à un passant :

— En quelle année sommes-nous ?
— Nous sommes en décembre 2023, lui répondit le passant, surpris de la question.

« En décembre 2023 », se dit-elle, étonnée. Elle n'en croyait pas ses yeux. De jour en jour, elle s'émerveillait par tout ce qu'elle découvrait.

Elle était impressionnée par les inventions technologiques telles que les services de messagerie gratuits, les services de musique en continu, les programmes de télévision en haute définition, les consoles de jeux, la technologie GPS (géopositionnement par satellite), la voiture électrique, le livre électronique, les tablettes numériques, les appareils robotisés, la télévision intelligente HD 4K, l'infonuagique, les drones, la diffusion vidéo en continu, les chaines de télévision spécialisées, les objets connectés et la technologie portable, les haut-parleurs intelligents, la technologie 5G, l'intelligence artificielle, les paiements numériques, les jeux en ligne, le billet électronique, le magasinage en ligne, etc.

Cette femme, qui était manifestement arrivée d'une autre époque, voyait de ses propres yeux une révolution technologique et informatique sans précédent, ainsi qu'une véritable transformation de la société par les médias et les réseaux sociaux. « La société a connu une évolution remarquable au cours des 75 dernières années », se dit-elle, émerveillée.

Mais après quelques jours à regarder la télévision en haute définition, elle remarqua que les téléspectateurs étaient bombardés d'informations et de publicités, à toutes les six ou sept minutes, pour vanter et vendre de plus en plus de produits. Elle voyait des consommateurs qui entraînés dans une confusion des besoins et des désirs, ne faisaient qu'acheter et jeter des produits pour en racheter d'autres plus performants, comme dans un cycle de consommation interminable pour « être ou paraître ». Des consommateurs qui, inconsciemment, s'endettaient pour surconsommer de nouveaux types de produits que l'évolution technologique rendait possible en peu de temps.

Cette femme qui avait jailli de la bouteille fut vite désenchantée par tout ce qu'elle voyait pour la première fois. Dotée de pouvoirs magiques, elle décida d'entreprendre un voyage intercontinental. En l'espace de quelques jours, elle traversa tous les continents de la planète. Elle fut consternée de voir et de constater des atteintes aux droits et libertés, un peu partout dans le monde.

Dans de nombreux pays, elle observa non seulement des droits qui étaient menacés, mais également des violations* de droits de la personne. Dans certaines régions du monde, elle vit des milliers et parfois des millions :

· de personnes qui sont exposées à des arrestations et à des détentions arbitraires, ainsi qu'à des traitements cruels et inhumains, en raison de qui elles sont ou de ce qu'elles croient, pensent ou affirment

· de femmes et de jeunes filles qui sont privées de droits fondamentaux, souvent par la menace, la violence, le mariage forcé et le trafic d'êtres humains

· d'enfants qui vivent dans des conditions de précarité et qui n'ont pas accès à l'école à cause des conflits armés

· de journalistes et de défenseurs des droits de la personne qui ne reçoivent aucune protection, mais qui sont emprisonnés, persécutés ou tués pour avoir exprimé leurs opinions ou pour avoir recherché, reçu, partagé ou communiqué des idées ou des informations

· d'enfants qui ne vont pas à l'école et qui n'apprendront jamais à lire et à écrire en raison du niveau de pauvreté

· de réfugiés qui sont détenus ou qui se voient refuser le droit de travailler, les empêchant de se bâtir une nouvelle vie

· de personnes qui sont détenues dans des prisons sans connaître les motifs de leur détention, sans savoir de quel crime on les accuse, sans avoir la chance d'être entendues devant un tribunal compétent, ni même avoir l'occasion de faire valoir leurs arguments pour se défendre

· d'enfants qui sont forcés de travailler, parfois plus de douze heures par jour, sept jours par semaine, sans jours de congé

· de personnes qui se voient refuser la citoyenneté ou qui se voient retirer leur citoyenneté

· de groupes minoritaires qui cherchent à protéger leur culture et qui font face à des menaces ou à des pressions des autorités politiques ou militaires

· de travailleuses et de travailleurs migrants qui ne bénéficient toujours pas d'une protection égale aux autres salariés, mais qui exécutent tous les jours le même travail

· de personnes qui souffrent de la faim et qui doivent se déplacer à cause des effets du changement climatique et de la dégradation de l'environnement

· de militants et de militantes qui sont victimes de menaces et d'agressions et qui encourent des années de prison pour avoir défendu les droits des femmes et l'égalité des genres, ainsi que les droits des lesbiennes, des gays, des personnes bisexuelles, transgenres et intersexes

· de personnes qui sont forcées de fuir leur domicile par peur de mourir ou d'être victimes de violence, de torture ou de disparition forcée en présence de groupes armés

· de prisonniers d'opinion et d'opposants politiques qui sont menacés, harcelés, torturés, voire arrêtés et détenus arbitrairement, sans preuves crédibles, pour les empêcher de dénoncer la corruption et les graves atteintes aux droits de la personne

· de personnes (plus souvent des femmes) qui sont privées du droit de posséder des biens

· de militants et de militantes de l'environnement ainsi que de défenseurs du droit à la terre qui sont poursuivis en justice dans le seul but de les intimider, et parmi eux, certains sont attaqués, menacés, emprisonnés ou assassinés pour avoir voulu protéger les ressources naturelles vitales contre de puissants intérêts politiques et économiques

· de bénévoles, de militants ou de défenseurs des droits de la personne qui sont arrêtés et accusés pour être venus en aide aux demandeurs d'asile qui luttent pour leur survie

· de personnes qui sont injustement condamnées à la peine de mort, souvent à l'issue d'un procès d'une iniquité évidente

· de prisonniers d'opinion qui sont arrêtés et placés en détention pendant des années et qui subissent de mauvais traitements pour avoir manifesté en faveur de la démocratie

· de groupes minoritaires qui cherchent à protéger leurs territoires et qui font face à des menaces et à des attaques, par des groupes armés, dans le but de les déposséder de leurs biens et de leurs terres

· de personnes qui sont victimes des forces policières ou militaires, par la menace, la contrainte et la violence, en toute légalité et dans l'impunité, pour sanctionner ou pour obtenir des aveux

· de travailleurs et travailleuses qui sont surveillés, intimidés et même congédiés pour les empêcher de se syndiquer

- d'enfants qui sont abandonnés dans la pauvreté et la misère, qui ne mangent pas à leur faim, qui vivent et mendient dans les rues, qui sont sans domicile et dont l'avenir est sombre et incertain

- de travailleurs et travailleuses qui sont congédiés pour s'être exprimés sur les risques en termes de santé et sécurité durant la pandémie

- de personnes qui craignent encore pour leur vie lorsqu'elles tentent de voter ou de faire entendre leur voix par le biais d'un rassemblement pacifique

- de personnes qui sont déplacées à cause des conflits armés et qui ont besoin d'une aide humanitaire

- d'enfants pris pour cible, enlevés, violentés, assassinés ou recrutés par des groupes armés et qui, en échange de nourriture, sont forcés de participer à la guerre

Dans certaines régions du monde, elle vit et observa également :

- certains gouvernements qui utilisent des technologies de reconnaissance faciale pour identifier, surveiller et intimider des manifestants pacifiques ou pour opprimer les voix dissidentes

- certains gouvernements qui tentent de saper l'indépendance de la justice, en exposant les juges à des procédures disciplinaires pour les faire taire, ce qui représente une menace pour le droit à un procès équitable

- certains gouvernements qui instrumentalisent la pandémie pour attaquer la liberté d'expression et pour réduire la qualité de l'information à laquelle la population est en droit de s'attendre

- certains gouvernements qui adoptent des lois pour protéger et innocenter les auteurs de crimes et de violations des droits de la personne, des crimes commis en toute impunité, empêchant ainsi les familles des victimes d'obtenir justice et réparation

· certains gouvernements qui, au nom de la sécurité nationale, ont recours à des programmes de surveillance de masse pour intercepter les communications de ses propres citoyens et pour recueillir des informations sur ceux-ci à leur insu

· certains gouvernements qui vendent des armes à des pays qui pourraient commettre des violations aux droits de la personne

· certains gouvernements qui ont recours à la force, à la menace et à la violence pour éloigner les réfugiés ou les demandeurs d'asile, et qui les expulsent tout en sachant qu'ils les exposent à des dangers et à de mauvais traitements lors du retour forcé dans leur pays

· certains gouvernements qui utilisent la législation pénale pour restreindre la liberté d'expression sur Internet afin de réprimer quiconque exprime des opinions en désaccord avec le régime en place

· certains gouvernements qui bafouent les droits des manifestants pacifiques en ayant recours à l'intimidation, des arrestations, des menaces, de la violence et de la détention arbitraire pour les effrayer et les réduire au silence

· certains gouvernements qui adoptent de nouvelles lois pour faire taire les personnes qui défendent le droit à la liberté d'expression, à la protection des données sur Internet et au respect de la vie privée

· certains gouvernements qui bafouent les droits des manifestants pacifiques en cherchant à détruire toute voix dissidente pour se maintenir au pouvoir

· certains gouvernements qui instrumentalisent la pandémie pour commettre des crimes et pour justifier la répression, voire pour bafouer les droits de la personne

· certains gouvernements qui adoptent des lois dont le but est de restreindre ou de ne pas accorder les mêmes droits aux groupes minoritaires, mais qui les terrorisent ou les exposent à d'autres dangers.

— Assez, c'est assez, dit-elle, épuisée par tout ce qu'elle avait vu et observé. Je n'en peux plus.

Manifestement, cette femme qui avait jailli de la bouteille au bord de la rive était désappointée de constater que les atteintes aux droits et libertés de la personne étaient encore une réalité à laquelle étaient confrontées les personnes vivant à l'an 2023. Consternée et déçue, elle pensait entre autres aux personnes dans le monde qui ne se voyaient toujours pas accorder ce que toutes et tous étaient en droit d'exiger et de réclamer, soit les droits et les libertés prévus dans la *Déclaration universelle des droits de l'homme*.

Toutefois, elle avait observé, lors de son voyage à travers tous les continents de la planète, de grandes organisations mondiales, vouées à la défense des droits de la personne. Ce qui la réconforta. Elle avait vu et constaté que des millions de personnes se battaient encore chaque jour pour protéger des droits et des libertés que toute personne devrait pouvoir exercer librement. Car, malgré l'existence de la *Déclaration*, de nombreux droits et libertés étaient toujours menacés.

Pendant ce temps-là, Théo, Hugo et Zoé se préparaient mentalement pour relever le dernier défi qui les attendait. Ils méditèrent ensemble pendant une heure avant d'essayer de percer l'énigme qui leur permettrait d'être catapultés vers le présent. Ils ne tenaient pas à demeurer bloqués dans le passé, car ils savaient que le présent leur offrait une meilleure qualité de vie. De cette aventure, nos trois amis inséparables avaient plutôt rêvé de connaître le futur, ce qui n'avait malheureusement pas eu lieu.

— Je me réjouis d'avoir libéré le peuple de sa captivité, leur exprima Zoé, en espérant qu'il s'épanouisse pleinement dans la liberté, l'égalité et la justice.
— Tu as trouvé les mots justes pour résumer ma pensée, lui dit Hugo, heureux du dénouement.

Théo semblait plutôt inquiet.

— À quoi penses-tu ? lui demanda Zoé.
— Au prochain défi à relever, répondit Théo.

Ils placèrent la bouteille sur le sol, de la manière indiquée dans la note manuscrite, et elle se transforma immédiatement en un mur de verre géant.

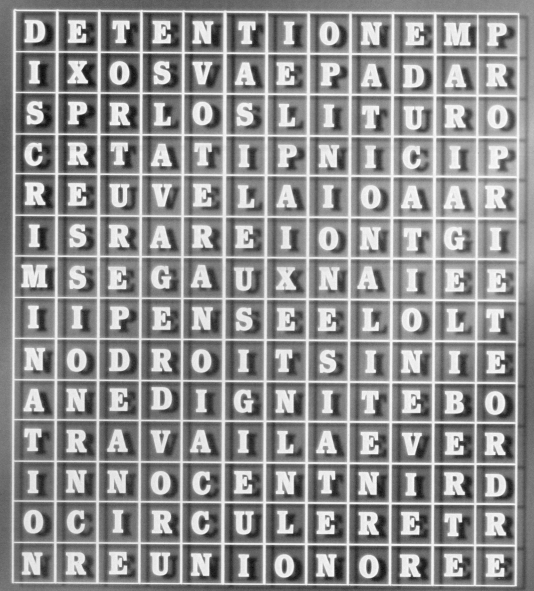

D	E	T	E	N	T	I	O	N	E	M	P
I	X	O	S	V	A	E	P	A	D	A	R
S	P	R	L	O	S	L	I	T	U	R	O
C	R	T	A	T	I	P	N	I	C	I	P
R	E	U	V	E	L	A	I	O	A	A	R
I	S	R	A	R	E	I	O	N	T	G	I
M	S	E	G	A	U	X	N	A	I	E	E
I	I	P	E	N	S	E	E	L	O	L	T
N	O	D	R	O	I	T	S	I	N	I	E
A	N	E	D	I	G	N	I	T	E	B	O
T	R	A	V	A	I	L	A	E	V	E	R
I	N	N	O	C	E	N	T	N	I	R	D
O	C	I	R	C	U	L	E	R	E	T	R
N	R	E	U	N	I	O	N	O	R	E	E

Pour résoudre l'énigme, encerclez les mots reliés aux articles ou au préambule de la Déclaration universelle des droits de l'homme. Les mots peuvent figurer en lignes horizontales ou verticales seulement. L'énigme est la suivante :
Mon prénom contient sept lettres. Qui suis-je?

_ _ _ _ _ _ _

Et sur ce mur, en face d'eux, un jeu de mots cachés leur fut proposé pour résoudre la dernière énigme. Il exigeait encore une fois des connaissances de la *Déclaration universelle des droits de l'homme*. Cette fois-ci, Théo, Hugo et Zoé devaient trouver des mots reliés au préambule ou aux articles de la *Déclaration* et les encercler pour découvrir le prénom de la personne qui était le mot-mystère. Le prénom contenait sept lettres. Les mots pouvaient figurer en lignes horizontales ou verticales seulement. Nos trois amis inséparables se mirent au travail.

Depuis leur enfance, Théo, Hugo et Zoé possédaient une mémoire visuelle exceptionnelle. Chacun d'eux semblait se souvenir des articles de la *Déclaration* qu'ils avaient facilement mémorisés. Ceux qu'ils avaient vus s'épanouir dans l'arbre de la paix, de la dignité et de la fraternité. Depuis sa présentation sur le préambule de la *Déclaration* lors de sa dernière année d'études au secondaire, Zoé avait retenu de nombreuses informations qui y étaient reliées.

— Je suis sûr de trouver le mot-mystère, leur dit Hugo, confiant.
— Moi je suis un peu inquiet, exprima Théo, mais je suis soulagé d'être entouré de vous deux, mes amis.
— Moi je n'ai absolument aucune crainte, leur fit savoir Zoé. À nous trois, nous y parviendrons.

En appuyant sur le bouton « INDICE » devant eux, Théo, Hugo et Zoé découvrirent qu'il s'agissait du prénom d'une femme et que la quatrième lettre de ce prénom était la voyelle « a ». Mais cet indice était insuffisant pour résoudre l'énigme devant eux. Le compte à rebours de trois minutes commença. Puisqu'ils avaient mémorisé chacun des articles de la *Déclaration*, ils trouvèrent rapidement les mots reliés aux articles de celle-ci, qu'ils encerclèrent. Et grâce à Zoé qui trouva les mots reliés au préambule, ils résolurent l'énigme en 2 minutes et 26 secondes.

Zoé se souvenait de ce prénom, parce qu'Eleanor Roosevelt fut la seule femme à faire partie du comité de rédaction de la *Déclaration universelle des droits de l'homme*. De plus, elle avait été la première présidente de la Commission des droits de l'homme des Nations Unies. Après avoir tapé les lettres du prénom sur le clavier, le mur de verre se transforma comme par magie en une bouteille. Nos trois amis inséparables furent immédiatement aspirés à l'intérieur de celle-ci et ramenés dans le présent.

Théo, Hugo et Zoé étaient plus qu'heureux d'être revenus à l'an 2023. La femme qui avait jailli de la bouteille fut surprise de les apercevoir, là devant elle. Décontenancée, elle comprit que son séjour dans le futur tirait malheureusement à sa fin. Elle prit le temps de les remercier.

— J'ai réalisé mon rêve, dit-elle.
— Lequel ? demanda Zoé, étonnée.
— En jetant la bouteille à la mer, je pouvais espérer revenir dans le futur si la note manuscrite était trouvée et qu'elle revoyait le jour, répondit-elle. Et ce fut fait, 75 ans plus tard. Mais ce qui vient de se passer dans l'instant présent ne peut se produire qu'une seule fois, ajouta-t-elle, avec tristesse.

Elle leur raconta qu'elle avait été tout particulièrement impressionnée par le progrès technologique, mais qu'elle avait été consternée, lors de son voyage intercontinental, par le non-respect des droits de la personne et des libertés fondamentales dans de nombreux pays à travers le monde.

— J'avais espéré y découvrir une planète sans guerre ni violence, une société plus inclusive, plus égale et sans discrimination dans tous les pays du monde, leur avoua-t-elle, visiblement déçue.

En dialoguant avec cette femme qui avait jailli de la bouteille, Zoé prit conscience que l'inquiétude exprimée par cette femme était justifiée et palpable. Zoé pouvait la ressentir.

Plus que jamais, Zoé semblait convaincue du choix qu'elle devait faire. Elle lui fit la promesse de poursuivre la lutte pour le respect des droits et libertés des femmes et des hommes. Elle s'engagea à militer pour la défense des droits et libertés de ceux et celles qui n'en ont pas, comme de ceux et celles qui ne se les voient toujours pas accorder, ainsi que de ceux et celles qui sont lésés dans leurs droits et libertés pour les réduire au silence.

La femme qui avait jailli de la bouteille s'en réjouit. Mais malgré les bonnes intentions de Zoé, la femme semblait encore préoccupée par ce qu'elle avait vu, observé et constaté.

Puis, elle s'empressa de leur dire :
— La liberté d'expression est menacée. Il faut s'en inquiéter. Il faut également se soucier de la disparition de certains droits et de certaines libertés si les militants, les journalistes et les défenseurs de droits de la personne continuent d'être intimidés, harcelés, attaqués et parfois même tués pour les empêcher de faire leur travail efficacement.

Spontanément, Zoé ajouta :
— La démocratie sur cette planète est également menacée.
— À qui le dites-vous ? répliqua la femme. S'il y a présence de violence, de racisme ou de discrimination, il ne peut y avoir égalité, liberté, sécurité et justice pour tous.

En pensant au dérèglement climatique, au réchauffement planétaire, à la dégradation de l'environnement et à la pauvreté dans le monde qu'elle avait observés lors de son voyage intercontinental, la femme tenait finalement à leur transmettre un dernier message :
— Il faut également penser à promouvoir et à défendre de nouveaux droits universels.

Hugo se prononça pour la promotion d'un droit universel pour les peuples qui veulent protéger leur langue, leur culture ou leur territoire. De son côté, Zoé pensait à soutenir l'idée d'un droit universel à la santé mentale, en lien avec les répercussions insoupçonnées de la pandémie sur la population, et plus particulièrement sur la jeune génération qui a été privée de relations sociales et de vivre certaines expériences de leur âge. Elle n'eut pas le temps de le formuler, car cette femme qui avait jailli de la bouteille au bord de la rive fut aspirée à l'intérieur de la bouteille et disparut. Nos trois amis inséparables n'en revenaient pas.

— Avons-nous halluciné ? leur demanda Théo.
— Je n'en sais rien, répondit Zoé.
— Et si…, ajouta Hugo.

En revenant sur leurs pas, Théo, Hugo et Zoé aperçurent une bouteille au bord de la rive. Ils se regardèrent, étonnés. Ils sourirent. Non, celle-ci n'était pas la bouteille jetée à la mer qu'ils avaient trouvée, mais un détritus. Théo la ramassa.

**Égalité, Dignité, Liberté et Justice
Pour tous**

**Tu as des droits,
Fais-les respecter**

Annexe

Énigme 1 : Inaliénables, indivisibles, interdépendants, universels

Énigme 2 : Égalité (sûreté, asile, liberté, vie)

Énigme 3 : Eleanor (discrimination, expression, détention, torture, pensée, esclavage, dignité, travail, réunion, circuler, liberté, droits, égaux, nationalité, éducation, mariage, propriété, ordre, innocent, vie, opinion, asile, voter, paix)

*En te référant à l'illustration de l'arbre des droits et libertés de la *Déclaration universelle des droits de l'homme*, tente d'identifier le ou les articles dont il est question pour chacun des droits menacés ou des violations de droits de la personne que la femme a vus et observés lors de son voyage intercontinental.

Pour poursuivre votre réflexion, vous pouvez consulter :

La Déclaration universelle des droits de l'homme

La *Déclaration universelle des droits de l'homme* est considérée comme un des documents les plus importants du XXe siècle. Après 75 ans d'existence, elle résiste aux épreuves du temps et elle s'avère toujours aussi pertinente qu'elle l'était en 1948. Elle s'applique aussi à de nouvelles réalités telles que le changement climatique et le réchauffement de la planète.

Pour plus d'informations, consultez le site : https://www.un.org/fr/universal-declaration-human-rights/

Charte canadienne des droits et libertés

Avec le rapatriement de la Constitution, en 1982, un document constitutionnel de protection des droits fondamentaux fut incorporé à la *Loi constitutionnelle*, soit la *Charte canadienne des droits et libertés* qui protège entre autres :

- les libertés fondamentales : conscience, religion, pensée, croyance, opinion, expression, réunion pacifique et association (art. 2) ;
- les droits démocratiques (art. 3 à 5) ;
- la liberté de circulation et d'établissement (art. 6) ;
- les garanties juridiques : vie, liberté, sécurité, fouilles, perquisitions, saisies, détention, emprisonnement arbitraire, arrestation, affaires criminelles et pénales, cruauté, témoignage incriminant, interprète (art. 7 à 14) ;
- le droit à l'égalité, sans distinction aucune (art. 15) ;
- les langues officielles (art. 16 à 22) ;
- le droit à l'instruction dans la langue de la minorité (art. 23) ;
- les droits et libertés des peuples autochtones (art. 25) ;
- l'égalité des hommes et des femmes (art. 28).

La *Charte canadienne des droits et libertés* est enchâssée dans la *Loi constitutionnelle* qui est la loi suprême du pays. Et elle a préséance sur les autres lois. Elle rend d'ailleurs inopérantes les dispositions incompatibles de toute autre règle de droit (art. 52). Elle s'applique pour régir les rapports publics (entre les individus et les gouvernements) et non les rapports privés (entre les individus). Elle s'applique au Parlement et au gouvernement du Canada, ainsi qu'à la législature et au gouvernement de chaque province (art. 32). Elle protège les personnes contre les infractions commises par des institutions publiques. La *Charte canadienne des droits et libertés* ne comporte toutefois aucune reconnaissance des droits économiques, sociaux et culturels.

Pour plus d'informations, consultez le site : https://www.canada.ca/fr/patrimoine-canadien/services/comment-droits-proteges/guide-charte-canadienne-droits-libertes.html

Ainsi que le site :
https://www.chrc-ccdp.gc.ca/en

Charte des droits et libertés de la personne du Québec

La rédaction de la *Charte des droits et libertés de la personne du Québec* fait référence à la *Déclaration universelle des droits de l'homme*. La *Charte*, adoptée en juin 1975, et entrée en vigueur en juin 1976, garantit les libertés fondamentales ainsi que les droits civils et politiques. Contrairement à la *Charte canadienne*, elle protège également les droits économiques et sociaux.

Le Québec est la seule province à avoir adopté une *Charte*, un texte quasi constitutionnel, qui a préséance sur toutes les autres lois québécoises, à l'exception des droits économiques et sociaux (art. 52). Contrairement à la *Charte canadienne*, qui ne s'applique qu'aux rapports publics (entre l'État et les citoyens), la *Charte québécoise* s'applique également aux rapports privés (entre individus, groupes, organismes ou entreprises privées).

· Libertés et droits fondamentaux (art. 1 à 9.1)
· Droit à l'égalité, sans distinction, exclusion ou préférence (art. 10 à 20)
· Droits politiques (art. 21 et 22)
· Droits judiciaires (art. 23 à 38)
· Droits économiques et sociaux (art. 39 à 48)

Consultez le magnifique document préparé par la Commission des droits de la personne et des droits de la jeunesse du Québec qui présente la *Charte des droits et libertés de la personne simplifiée* : https://www.cdpdj.qc.ca/storage/app/media/publications/Charte_simplifiee.pdf

La *Charte québécoise* accorde de nombreux droits qui ne sont pas prévus dans la *Charte canadienne des droits et libertés* tels que le droit à la dignité, à son honneur et à sa réputation, le droit au respect de sa vie privée, le droit au respect du secret professionnel, le droit à la protection de l'enfant, le droit à l'information, le droit à l'instruction publique gratuite, le droit à des conditions de travail justes et raisonnables, le droit à la protection des personnes âgées et handicapées, le droit de vivre dans un environnement sain et le droit à l'assistance financière.

Pour plus d'informations, consultez le site :
https://www.cdpdj.qc.ca/fr/vos-droits/lois-qui-protegent-vos-droits/charte
Ainsi que les sites : https://www.cdpdj.qc.ca/fr
https://tribunaldesdroitsdelapersonne.ca/fileadmin/tribunal-droits-personne/pdf/Charte_en_bref_PDF_balise.pdf

Centre canadien pour la diversité et l'inclusion

Pour obtenir un aperçu des lois sur les droits de la personne des provinces et territoires du Canada, consultez le site : https://ccdi.ca/media/1415/20171102-publications-overview-of-hr-codes-by-province-final-fr.pdf

Pour obtenir d'autres informations concernant les lois et les commissions des droits de la personne des provinces et territoires, consultez les sites suivants.

Association canadienne des Commissions des droits de la personne

Pour plus d'informations, consultez le site : https://cashra.ca/fr/accueil/

Code des droits de la personne de l'Ontario

L'Ontario fut la première province canadienne, en 1961, à se doter d'un Code des droits de la personne ainsi que d'une Commission des droits de la personne pour le mettre en application. Pour plus d'informations, consultez les sites :
https://www.ohrc.on.ca/fr/le-code-des-droits-de-la-personne-de-l'ontario
https://www.ohrc.on.ca/fr

Loi sur les droits de la personne du Nouveau-Brunswick

La *Loi sur les droits de la personne* du Nouveau-Brunswick interdit la discrimination et le harcèlement fondés sur 16 motifs. Pour plus d'informations, consultez les sites :
https://www2.gnb.ca/content/gnb/fr/ministeres/cdpnb.html   https://www2.gnb.ca/content/gnb/fr/ministeres/cdpnb/loi_sur_les_droits_de_la_personne/explication-plus-detailee.html

Loi sur les droits de la personne de l'Î.-P.-É.

Pour plus d'informations, consultez les sites : https://www.princeedwardisland.ca/sites/default/files/legislation/H-12%20-Human%20Rights%20Act.pdf
https://www.peihumanrights.ca/en-francais

Loi sur les droits de la personne de la Nouvelle-Écosse

Pour plus d'informations, consultez les sites : https://humanrights.novascotia.ca
https://nslegislature.ca/sites/default/files/legc/lois/human%20rights%20(FRENCH).pdf

Loi sur les droits de la personne de Terre-Neuve-et-Labrador
Pour plus d'informations, consultez les sites : https://thinkhumanrights.ca
https://assembly.nl.ca/Legislation/sr/statutes/h13-1.htm
https://www.francotnl.ca/fr/services/ressources-juridiques/ressources-documentaires/commission-des-droits-de-la-personne-de-terre-neuve-et-labrador/

Code des droits de la personne du Manitoba
Pour plus d'informations, consultez les sites : https://www.manitobahumanrights.ca
https://web2.gov.mb.ca/laws/statutes/ccsm/h175f.php

Code des droits de la personne de la Saskatchewan
Pour plus d'informations, consultez les sites : https://saskatchewanhumanrights.ca   https://www.saskinfojustice.ca/public/droits-de-personne

Loi sur les droits de la personne de l'Alberta
Pour plus d'informations, consultez les sites :
https://www.ajefa.ca/fichiers/documents/ressource/droit_de_la_personne/Les_droits_de_la_personne_au_Canada_et_en_Alberta.pdf
https://albertahumanrights.ab.ca/Pages/default.aspx

Loi sur les droits de la personne de la Colombie-Britannique
Pour plus d'informations, consultez les sites :
https://bchumanrights.ca
https://www2.gov.bc.ca/assets/gov/law-crime-and-justice/human-rights/human-rights-protection/french-gender-id.pdf

Loi des droits de la personne des Territoires du Nord-Ouest
Pour plus d'informations, consultez les sites : https://www.justice.gov.nt.ca/en/files/legislation/human-rights/human-rights.a.pdf
https://nwthumanrights.ca/vos-droits/?lang=fr

Loi sur les droits de la personne du Yukon
Pour plus d'informations, consultez les sites :
http://yukonhumanrights.ca
https://laws.yukon.ca/cms/images/LEGISLATION/PRINCIPAL/2002/2002-0116/2002-0116.pdf

Loi sur les droits de la personne du Nunavut

Pour plus d'informations, consultez le site : http://www.nhrt.ca/french/general_information

Également au Canada :

Loi canadienne sur les droits de la personne

Pour obtenir plus d'informations sur les dispositions générales et les actes discriminatoires, consultez le site :

https://laws-lois.justice.gc.ca/fra/lois/h-6/page-1.html#h-250654

Commission canadienne des droits de la personne

Pour obtenir plus d'informations, consultez le site :

https://www.chrc-ccdp.gc.ca/fr

Ailleurs dans le monde :

Charte des droits et devoirs du citoyen (France)

Pour connaître les principes et les valeurs essentiels de la République française ainsi que les droits et devoirs du citoyen (Liberté, Égalité et Fraternité), résultant de la Constitution ou de la loi, consultez le site suivant : https://www.immigration.interieur.gouv.fr/Integration-et-Acces-a-la-nationalite/La-nationalite-francaise/La-charte-des-droits-et-devoirs-du-citoyen-francais

Charte des droits fondamentaux de l'Union européenne :

Pour connaître les 54 articles consacrant les droits fondamentaux des personnes au sein de l'UE, répartis entre six valeurs individuelles et universelles : dignité, liberté, égalité, solidarité, citoyenneté et justice, consultez le site :

https://www.europarl.europa.eu/charter/pdf/text_fr.pdf

Déclaration des droits des États-Unis d'Amérique :

Pour connaître les dix premiers amendements à la Constitution américaine, consultez le site :

https://www.archives.gov/founding-docs/bill-of-rights-transcript

Pour poursuivre votre réflexion, vous pouvez également lire les actualités ou les histoires rapportées par des journalistes, des militantes et des défenseurs des droits de la personne qui œuvrent au sein de grandes organisations internationales. Leur mission est de nous informer des droits et libertés qui sont menacés à travers le monde.

Voici quelques liens:

Amnistie internationale: https://www.amnesty.org/fr/

Reporters sans Frontières: https://rsf.org/fr

Human Rights Watch: https://www.hrw.org/fr

Haut-Commissariat des Nations Unies aux droits de l'homme: https://www.ohchr.org/FR/Pages/Home.aspx

L'Agence des Nations Unies pour les réfugiés: https://www.unhcr.org/fr/le-haut-commissaire.html

Organisation des Nations Unies (ONU): https://www.un.org/fr/

UNICEF: https://www.unicef.org/fr

Ligue des droits et libertés: https://liguedesdroits.ca

Ligue des droits de l'Homme: https://www.ldh-france.org

Avocats sans frontières Canada: https://asfcanada.ca